Do mo dhá mhac tíre
L.B.

Do Tommy, Lulu, Priscilla agus Andy
M.D.

Foilsithe den chéad uair i 1999 ag Mijade, An Bheilg, faoin teideal *Le Loup Magicien*

Bunleagan Fraincise: © 1999 Mijade
Téacs: © 1999 Laurence Bourguignon
Léaráidí: © 1999 Michaël Derullieux

Leagan Gaeilge: © 2009 Futa Fata.

Clóchur Gaeilge: Anú Design

Glacann Futa Fata buíochas le Bord na Leabhar Gaeilge agus le Foras na Gaeilge faoin tacaíocht airgid a chuireann said ar fáil

Foras na Gaeilge

Bord na
Leabhar
Gaeilge

ISBN: 978-1-906907-13-6

Laurence Bourguignon

Michaël Derullieux

Mac Tíre na Draíochta

Leagan Gaeilge le Tadhg Mac Dhonnagáin

Futa Fata

Bhí an lá caite ag Maidhceo Mac Tíre amuigh ag siúl.
Nuair a tháinig sé abhaile, d'oscail sé an doras tosaigh.
"Tá sé ann arís!" a deir sé. "An boladh sin! Tá rud éigin tar éis
teacht isteach i mo theach".

"Tá an tsrón is fearr san fhoraois agamsa" a deir Maidhceo agus é ag caitheamh súl faoin leaba. "Ní féidir le rud ar bith teacht isteach anseo i ngan fhios dom".

Ach ní raibh éinne ann. "Seo an tríú huair ar tharla sé seo!" a deir Maidhceo agus é an-chrosta. "Bhuel, ní tharlóidh sé arís! Amárach, ní bheidh mé ag dul amach ag siúl. Fanfaidh mé anseo agus rachaidh mé i bhfolach!"

An mhaidin dar gcionn, isteach sa phota mór sa chistin le Maidhceo. D'fhan sé agus d'fhan sé. Faoi dheireadh, chuala sé an doras á oscailt, go mall, cúramach. Chuala sé cosa beaga ag siúl isteach. Chuala sé rud éigin ag léim suas ar an mbord! D'ardaigh Maidhceo a cheann, go bhfeicfeadh sé cérbh é an cuairteoir dána.

"Coinín!" a deir Maidhceo leis féin! "Coinín mór, blasta! É ina shuí ansiúd in airde ar mo bhord!"

Amach de léim as an bpota le Maidhceo.
"Tá fáilte romhat!" a deir sé leis an gcoinín.

"Tá tú díreach in am don dinnéar.
Béile álainn coinín bheirithe!"

"A mhac tíre!" a deir an coinín, a dhá shúil ar leathadh.
"Ná hith mé, más é do thoil é! Is coinín an-speisialta mise!"

Tharraing an coinín amach paca cártaí. "Pioc amach ceann!" a deir sé. "Ceann ar bith!".
Bhain sé sin siar as Maidhceo. "Seo leat!" a deir an coinín arís. Bhí ionadh ar Mhaidhceo.
Shín sé amach a lapa agus phioc sé cárta.

Bhocsáil an coinín na cártaí – siar is aniar
leo, suas agus anuas, anonn is anall.
"Sin é do cheannsa!" a deir sé le Maidhceo
agus é ag sá cárta isteach ina phus.

"Is fíor duit!" a deir Maidhceo.
"Cár fhoghlaim tú an cleas sin?" "Sin rún"
a deir an coinín. "Nár dhúirt mé leat gur
coinín speisialta mé? Coinín na draíochta!"

Ón lá sin amach, d'fhan an coinín sa teach le Maidhceo.
Chaith an mac tíre an geimhreadh fada dorcha ag déanamh iontais de
na cleasa iontacha a bhí ag a chara nua. Cearbhall ab ainm don choinín.
Bhí sé féin agus Maidhceo sona sásta le chéile.

Ach nuair a tháinig an tEarrach, tháinig uaigneas mór ar Chearbhall.
Ní raibh fonn ithe ar bith air. Níor chodail sé néal san oíche. Ní raibh
sé ag iarraidh fiú cleas draíochta a dhéanamh.

"Céard atá ort a Chearbhaill?" a deir Maidhceo leis.
"Ní coinín beag óg mé níos mó" a deir Cearbhall.
"Tá sé in am agam pósadh!" "Pósadh, an ea?" a deir
Maidhceo agus é ag imeacht amach ag siúl. "Pósadh?"

Nuair a tháinig Maidhceo ar ais óna shiúlóid, céard a bhí leis ach coinín álainn baineann. Caoimhe ab ainm di agus ba ghearr go raibh sí féin agus Cearbhall an-mhór le chéile.

Phós an bheirt agus níorbh fhada ina dhiaidh sin go raibh an áit lán le coiníní beaga bána. Bhí Maidhceo an-tógtha leo ar fad.

Ba bhreá leis suí siar ina chathaoir, tráthnóna, agus scéal a léamh do na coiníní beaga. Ní raibh faitíos ar bith ar na rudaí beaga bána roimh an mac tíre.

"Léigh ceann eile dúinn, a Uncail Maidhceo" a
deiridís nuair a bhíodh an scéal críochnaithe.
"Ceann beag gearr eile, más é do thoil é!"
Bhí Maidhceo an-sásta lena shaol rúnda nua.

Ach níor fhan a shaol nua ina rún i bhfad.
Lá amháin, bhí Maidhceo ag teacht abhaile ón margadh
nuair a chas sé ar ghrúpa mór mac tíre a bhí ag fanacht
leis ar imeall na foraoise. "A Mhaidcheo, a mhac bán!"
a deir mac tíre mór amháin. "Is fada nach bhfacamar thú!"

"Is gearr uainn anois an Nollaig!" a deir an mac tíre mór. "Aaah…
is gearr, is dócha" a deir Maidhceo. "Agus i mbliana, is tusa a bheidh
ag cócáireacht do na mic tíre, nach tú?" "Is dócha" a deir Maidhceo
arís. "An fíor go mbeidh *coinín* againn don dinnéar?" a deir an
mac tíre mór. "Ó ní fhéadfainn é sin a rá libh" a deir Maidhceo,
ag iarraidh straois gháire a choinneáil ar a bhéal. "Rún é sin,
an dtuigeann sibh!" "Táimid ag súil go mór leis" a deir an
mac tíre mór. "Nach bhfuil, a bhuachaillí?" Lig na mic tíre
eile liú mór gáire astu.

Rith Maidhceo bocht an bealach ar fad abhaile.
"Tá deireadh linn!" a deir sé. D'inis sé an scéal scanrúil do Chearbhall agus
do Chaoimhe. "Ná bíodh buairt ar bith ort" a deir Cearbhall. "Caithfidh tú cuimhneamh
gur coinín speisialta mise. Anois, nuair a thiocfaidh Oíche Nollag, beimid réitithe.
Tiocfaidh na mic tíre eile agus beidh an-oíche againn".
"An-oíche?" a deir Maidhceo agus é beagnach ag caoineadh.

Tháinig an oíche mhór.
Ag a seacht a chlog, bualadh cnag
ar an doras. "Táimid ann!" a deir na
mic tíre, taobh amuigh. "Nollaig
Shona, a Mhaidhceo!"

"Nollaig Shona daoibh féin,
a chairde" a deir Maidhceo.
"Isteach libh ón bhfuacht.
Tá súil agam go bhfuil ocras
oraibh – coinín beirithe a
bheidh againn don dinnéar!"

Las Maidhceo an tine faoin bpota mór. "Ní bheidh an dinnéar i bhfad anois, a bhuachaillí" a deir sé, agus é ag leagan an chláir anuas ar an bpota. "Ach roimhe sin, tá rud éigin speisialta réitithe agam daoibh!"

"Anois!" a deir Maidhceo leis an mac tíre mór."
Pioc cárta – ceann ar bith!"Thosaigh sé ag bocsáil.
Anonn is anall leis na cártaí, suas agus anuas leo, siar
agus aniar. Bhí na mic tíre faoi dhraíocht aige.

"Nach bhfuil sé in am don dinnéar?" a deir an mac tíre mór, uair an chloig ina dhiaidh sin.
Anonn leo ar fad chuig an bpota. Bhain Maidhceo anuas an clár mór trom.
Bhí an t-uisce ag beiriú, ach ní raibh coinín ar bith istigh ann!
"Caithfidh gur leáigh siad!" a deir Maidhceo. "Bhí an teas ró-ard agus bhí na
coiníní fágtha ann i bhfad ró-fhada. Nach mise an t-amadán!"

Amach an doras leis na mic tíre. "Níl clú ag Maidhceo faoin gcócaireacht"
a deir an mac tíre mór. "Ach bí ag caint ar chleasa draíochta!"